HÔSHIN

- L'INVESTITURE DES DIEUX -

Volume 23
L'HISTOIRE REPREND SES DROITS

RYÔ FUJISAKI

NAZHA

YANG-JIAN

RANDENG

WUJI

TAIGONG WANG (JIANG ZIYA)

SIBUXIANG

SU DAJI

NUWA

WANG TIANJUN

SHEN GONGBAO

HEIDAN-HU

RÉSUMÉ DES ÉPISODES PRÉCÉDENTS

L'HISTOIRE SE DÉROULE EN CHINE VOICI PLUS DE 3 000 ANS, AU XIᵉᵐᵉ SIÈCLE AVANT NOTRE ÈRE, À LA FIN DE LA DYNASTIE YIN.

DEPUIS QU'IL A PRIS DAJI POUR ÉPOUSE, LE ROI ZHOU, 30ᵉᵐᵉ SOUVERAIN DE LA DYNASTIE YIN, N'EST PLUS LE SOUVERAIN AVISÉ QU'IL ÉTAIT AUTREFOIS, ET IL A IRRÉMÉDIABLEMENT SOMBRÉ DANS LA DÉPRAVATION. LE POUVOIR SUPRÊME EST À PRÉSENT ENTRE LES MAINS DE LA MALFAISANTE DÉMONE.

POUR SAUVER LE MONDE DES HOMMES, LE PLAN HÔSHIN EST MIS EN ŒUVRE. IL CONSISTE À CONFINER DANS LE "DOMAINE DES DIEUX" LES IMMORTELS ET DISCIPLES TAOÏSTES PERVERTIS, ET À FAIRE DE JI-FA (ALIAS LE ROI WU) LE NOUVEAU SOUVERAIN. TAIGONG-WANG EST CHOISI POUR LE MENER À BIEN.

ALORS QU'AVANCE LE PLAN AU PRIX DE TERRIBLES SACRIFICES, TAIGONG DÉCOUVRE PEU À PEU LES VÉRITABLES ENJEUX ET L'EXISTENCE DE NUWA, UNE TERRIBLE FORCE QUI CONTRÔLE LA DESTINÉE.

POUR LA VAINCRE, TAIGONG ET LES SIENS SE RENDENT SUR L'ÎLE DE PENGLAI. MAIS NOTRE HÉROS EST BATTU ET SON ESPRIT S'ENVOLE. C'EST ALORS QU'IL DÉCOUVRE QUE WANGBIAN ET LUI NE SONT EN RÉALITÉ QU'UNE SEULE ET MÊME PERSONNE ET QUE POUR SURVIVRE, IL DOIT FUSIONNER AVEC. AINSI, LA MÉMOIRE LUI REVIENT ET IL S'ATTAQUE À L'ESPRIT DE NUWA QUI TENTE DE REGAGNER SON ENVELOPPE CHARNELLE...

HÔSHIN
- L'INVESTITURE DES DIEUX -

Volume 23
L'HISTOIRE REPREND SES DROITS

ÉPISODE 196

LA GRANDE MÈRE 2
INCARNATION

MAINTENANT QUE NOS SUPER BAOBEI PEUVENT FONCTIONNER, NOUS N'AVONS PLUS À CRAINDRE NUWA !!

UH !!...

ZWUP

ZWUP

ZWUP

SHUC

SHUC

BANNIÈRE DE PANGU...

...FUSIONNE AVEC MON SABRE !!

BWOM

C'EST PARTI !!

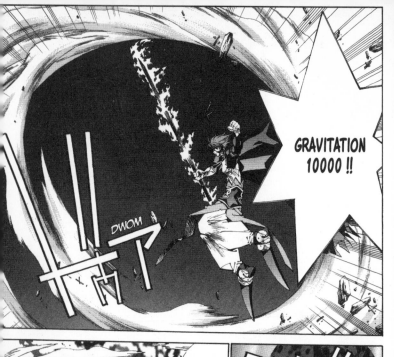

GRAVITATION 10000 !!

DWOM

WOW ! INCROY-ABLE !

IL N'Y A QUE RANDENG POUR FAIRE ÇA !

WOOO

KZAM

!!

ZUM

GWOOW

APPAREMMENT, LES CISEAUX SONT PLUS PUISSANTS EN PRODUISANT UN SEUL DRAGON PLUTÔT QUE SEPT.

BWOP

UN DRAGON D'OR ?!!

OUAAH

ZAAM

ZAAM

AH BON ?

JE NE SUIS PAS LE SEUL...

...À AVOIR GAGNÉ EN PUISSANCE.

SHAAAAA !!!

FWISH

CLAC

FWISH

SBAAM

CLAC

RAAAAAAH !!

Crève charogne !!

...MAIS J'AI COMME L'IMPRESSION QU'IL N'EST PLUS TOUT À FAIT LE MÊME...

GLAP

FLAP

FLAP

FLAP

FLAP

ÉPOUS-TOUFLANT !!

IL A SURPASSÉ WEN ZHONG !

SON PETIT STAGE INTENSIF EN ENFER LUI A FAIT LE PLUS GRAND BIEN...

...PUISQUE TOUT LE MONDE S'EN DONNE À CŒUR JOIE, À MON TOUR DE FAIRE MA DÉMONSTRATION DE FORCE.

BON...

STAC

BWOOM

OH!

AH!

LA BANNIÈRE DES SIX ÂMES !!

AH...

ZWASH

ZWASH

ZWASH

BIGRE...

ILS SE DÉCHAÎNENT !

TOUT LE MONDE EST DEVENU ENCORE PLUS FORT !!

C'EST GÉNIAL !

FLAP

FWAP

MOUAH !!

FWAP

SGNP

OUAH !!

...

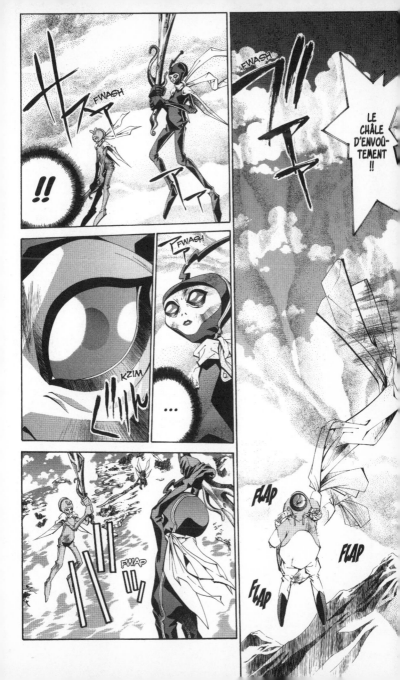

MMH... JE CROIS BIEN QUE LAOTZU EST FURIEUX QUE SON BEAU SCAPHANDRE DE SIESTE AIT ÉTÉ ENDOMMAGÉ.

OH ! LES CLONES DE NUWA COMMENCENT À S'ENTRE-TUER !

C'EST JUSTE.

Clones

1%

DIVISION

TOUT CECI NE REPRÉSENTE CERTAINEMENT GUÈRE PLUS D'UN POUR CENT DE LA VRAIE NUWA.

LES 99% RESTANTS SONT AILLEURS.

99%

IL N'Y A PAS DE QUOI SE RÉJOUIR. CE NE SONT QUE DES CLONES.

RIEN DE PLUS.

EFFECTIVE-MENT. SHEN GONGBAO A RAISON, TAIGONG.

C'EST LA VRAIE NUWA QU'IL FAUT COMBATTRE...

JE CHERCHE !

AH...

...

TU NE PEUX PAS LA LOCALISER, WUJI ?

ÇA ALORS...

MORTE ?

DE QUOI ?!

J'AI TROUVÉ DAJI !

C'EST IMPOSSIBLE !!

C'EST INCROYABLE, MAIS...

...JE CROIS BIEN QU'ELLE EST MORTE...

FWUSH

C'EST PARTI !!

EN AVANT, SIBU ! CONDUIS-MOI À ELLE !!

DIS, GONGBAO...

QU'Y A-T-IL, MON CHER HEDIAN-HU ?

!!

IL Y A UN DRÔLE DE TRUC ACCROCHÉ DANS LE DOS DE TAIGONG.

ZIEUT

LOIN DE QUOI ? VOUS VOULEZ QUE JE CHERCHE ?

AH ! VOILÀ ! J'EN ÉTAIS SÛR !

ZIEUT

ZIEUT

SI CE QUE JE SUPPOSE EST JUSTE...

ZIEUT

...NOUS NE DEVRIONS PAS ÊTRE LOIN.

SIBU ! LÀ-BAS !!

REGARDE DANS TON DOS !

DE QUOI ?

TOUT JUSTE !

AH... LE CORPS DE NUWA !!

NE T'EN APPROCHE PAS DAVANTAGE !!

STOP, TAIGONG !

L'INCARNATION DE L'ESPRIT DE NUWA !!

ひや HYAAH

AH ! ELLE SE SAUVE !!

BEURK !!

ボト FWOP

HOHOHO HOHOHO !!

J'AVAIS OPÉRÉ UNE RETRAITE STRATÉGIQUE !

UNE FOIS QUE J'AURAI REGAGNÉ MON CORPS, PLUS AUCUNE ATTAQUE EXTÉRIEURE NE POURRA M'ATTEINDRE !!

FWAP

FWAP

FWAP

PSAOUF !

BAOM

DE QUOI ?!

!!

GWOO

COUCOU !

TAP

JE M'EN DOUTAIS...

PLOM

PLOM

TU AS PRIS POSSESSION DU CORPS DE NUWA...

...DAJI !

DIFFICILE DE SE DÉPLACER DANS UN CORPS QUI N'EST PAS LE SIEN...

LA GRANDE MÈRE 3
LE SECRET DE DAJI

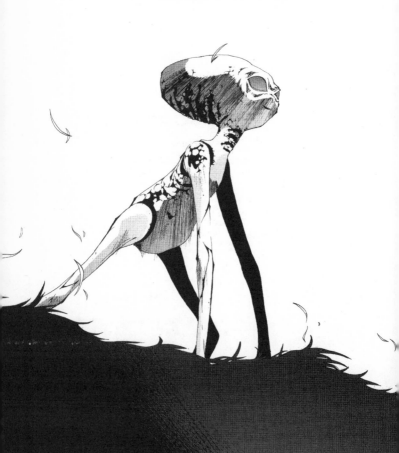

FLOM

ALLONS BON...
TU AS L'AIR
MALIGNE,
COMME ÇA...

À QUEL JEU
JOUES-TU,
DAJI ?

SHWIP

WOO

HNNG

HNNG

SMILE

QUE COMPTES-
TU FAIRE AVEC
LE POUVOIR QUE
TU AS OBTENU
EN T'EMPARANT
DU CORPS DE
NUWA ?

28

À CE STADE, JE SUIS PRÊTE À TOUT TE RACONTER.

ATTENDS ! OÙ VAS-TU COMME ÇA ?!

SI TU VEUX LE SAVOIR, TU N'AS QU'À ME SUIVRE, MON PETIT TAIGONG.

NOUS VOILÀ DÉBARRASSÉS DE TOUS LES CLONES DE NUWA.

OUI !

MAIS...

...QU'ÉTAIT DONC CE RAYON DE LUMIÈRE...

WOO

2

* MONTS KUNLUN

REGARDEZ ÇA !

AH !

FWUSH

AH !!

HÉ HÉ HÉ...

CE N'EST PAS NUWA.

GONG-BAO !

IL EN RESTAIT DONC ENCORE UN !

RESTE OÙ TU ES, NAZHA ! IL Y A QUELQUE CHOSE DE BIZARRE !

GWOO

C'EST DAJI.

...

DE QUOI ?!!

MAIS C'EST COMPLÈTEMENT FOU...

COMMENT A-T-ELLE PU FAIRE UNE CHOSE PAREILLE ?

ELLE SAVAIT EN RÉALITÉ DEPUIS FORT LONGTEMPS COMMENT LIBÉRER L'ENVELOPPE CHARNELLE DE NUWA.

ELLE A PROFITÉ DE LA DIVERSION DU COMBAT POUR S'EN EMPARER.

C'EST TOUT SIMPLE : ELLE DISPOSE D'UN SORT DE "POSSESSION".

LE CORPS QUI L'HÉBERGEAIT JUSQU'À MAINTENANT N'ÉTAIT AUTRE QUE CELUI D'UNE FILLE DE LA PROVINCE DE JIZHOU.

ELLE S'EN EST SERVIE À MAINTES REPRISES POUR S'EMPARER DE CORPS HUMAINS QUI LUI PERMETTAIENT DE MENER UNE VIE FASTE.

C'EST PAR CE MÊME MOYEN QU'ELLE S'EST EMPARÉE DE CELUI DE NUWA.

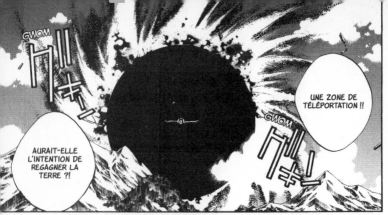

UNE ZONE DE TÉLÉPORTATION !!

AURAIT-ELLE L'INTENTION DE REGAGNER LA TERRE ?!

QUE DÉCIDES-TU, TAIGONG ?

MMH...

...JE DOUTE QU'ELLE VEUILLE SE BATTRE, À PRÉSENT...

ALORS EN AVANT !

KZUM

SWUS

WOO ✝ ✝ ✝

...

DISONS QUE JE ME DOUTAIS BIEN QUE TU NE T'INTÉRESSAIS NI À LA TERRE NI AU DOMAINE CÉLESTE.

TOUTE CETTE BROUILLE AVEC NOUS N'ÉTAIT RIEN DE PLUS QU'UNE DISTRACTION, N'EST-CE PAS ?

...TU AVAIS DEVINÉ QUEL ÉTAIT MON VÉRITABLE OBJECTIF ?

WOO ✝ ✝ ✝

ALORS, MON PETIT TAIGONG...

AUTRE-
FOIS...

...AVANT DE
RENCONTRER
NUWA,
JE N'AVAIS
SOIF QUE DE
PUISSANCE.

C'EST ALORS
QUE NUWA
EST APPARUE
DEVANT MOI.

AU DÉPART,
J'AI PENSÉ
M'EMPARER DE
SON POUVOIR.

MON RÊVE ÉTAIT
DE M'IMPOSER
PARMI LES
HOMMES ET
DANS LE
DOMAINE
CÉLESTE.

JE TRAVAILLAIS
DUR À CETTE
FIN, SANS
POUR AUTANT
RENONCER
AU LUXE.

C'AURAIT ÉTÉ
UN CONSIDÉRABLE
PAS EN AVANT DANS
MES AMBITIONS,
VOIS-TU.

MAIS UN BEAU JOUR, ENVIRON CENT ANS APRÈS QUE JE ME SOIS ASSOCIÉE AVEC ELLE...

LES "ANCÊTRES" ?

QUEL CHOC LORSQU'ELLE ME RÉVÉLA LEUR EXISTENCE !

LES ANCÊTRES... LES PREMIERS ÊTRES...

BIEN QUE DÉTENTEURS D'UNE FORCE PHÉNOMÉNALE, ILS NE S'EN SERVIRENT PAS...

...ET DÉCIDÈRENT DE FUSIONNER AVEC LA PLANÈTE POUR L'ÉTERNITÉ.

DOOM

38

CETTE DÉCOUVERTE BOULEVERSA
MA CONCEPTION DES CHOSES.

MES
INTENTIONS
ÉTAIENT
VRAIMENT
BASSES
COMPARÉES
À CE QU'ILS
AVAIENT FAIT.

COMMENT
AURAIS-JE PU
CONTINUER SUR
MA LANCÉE SI
MINABLE ?

FWUP

LES
ANCÊTRES
SONT
PRÉSENTS
DANS LA
MOINDRE
POIGNÉE DE
TERRE.

ILS SONT
LÀ, DANS
LE SOL,
CONFÉRANT
LA VIE...

FWUP

SCRAT

ILS SONT DANS LA TERRE, L'EAU, LE VENT, ET MÊME DANS LES GENS.

...

ET À QUELLE CONCLUSION ES-TU PARVENUE ?

DOOOM

ILS SONT PARTOUT.

SWUP

NUWA AURAIT ELLE AUSSI DÛ FUSIONNER AVEC LA PLANÈTE.

QU'Y A-T-IL DONC DE MAL À CE QUE JE PRENNE SA PLACE ?

FWISH

BYE-BYE, MON PETIT TAIGONG !

FLIP

FLIP

FLIP

JE VEILLERAI SUR TOI EN DEVENANT UNE MÈRE ORIGINELLE...

NE M'OUBLIE PAS.

IL EST
TROP TÔT
POUR...

D...

DAJI...
ATTENDS !

ÉPISODE 198
LA GRANDE MÈRE 4
L'ARRIVÉE

ÉPISODE 198

LA GRANDE MÈRE 4
L'ARRIVÉE

WOOOO

AAAH

DA...

DAJI...

ELLE S'EST ÉVAPORÉE !

VUUSH

....

GWOO

OUI.

ALORS, HEDIAN-HU ?

PARVIENS-TU À LOCALISER TAIGONG ?

* MONTS KUNLUN

JE L'AI TROUVÉ, MAIS...

...IL SEMBLE QUE DAJI SE SOIT DÉSINTÉGRÉE.

SCRIP !!

!!

DOOOM

SCRIP   SCRIP

SCRIP

SCRIP

BON SANG...

SCRIP

ÉLECTRICITÉ STATIQUE.

FWISH

J'AI APPRIS QUE DAJI AVAIT DISPARU, MAIS...

...QUELLE EST CETTE TENSION QUE JE SENS DANS L'AIR ?

TAIGONG !!

QUELQUE CHOSE ARRIVE, GONGBAO !

ÇA SE RAPPROCHE !

FWISH

NE RESTE PAS PLANTÉ LÀ, YANG-JIAN !

HÉ HÉ HÉ HÉ... TU LA SENS AUSSI, HEDIAN-HU ?

TIENS-TOI PRÊT !!

...CE N'EST PAS TERMINÉ...

ALLONS BON...

CETTE PRÉSENCE ÉCRASANTE QUI EMPLIT TOUTE L'ATMOSPHÈRE !!

LE CORPS DÉSINTÉGRÉ DE NUWA SE RESTRUCTURE...

FWAAASH

ACCROCHEZ-VOUS TOUS !

ÇA VA SECOUER !!

TONNERRE DE
TONNERRE...

SBAAAM

C'EST
BEAUCOUP
TROP...

URGH !

BAOM

TENEZ
BON
!!

NE VOUS
LAISSEZ PAS
IMPRESSIONNER
!!

CONCENTREZ
VOTRE MENTAL !
REJETEZ LA
DÉFAITE DE VOS
PENSÉES !!

BAOM

MOUAIS...

ZWAAAM

EN L'OCCURRENCE, PLUTÔT QUE DE SAVOIR QUI VA GAGNER...

...IL S'AGIT DE SAVOIR QUI RAVAGERA LE MOINS LA TERRE...

Ben dis donc...

WOOO

DES VILLAGES ENTIERS...

...ONT ÉTÉ RASÉS...

QUEL DÉSASTRE...

UH...

WOO

LES KUNLUN ONT-ILS ÉTÉ TOUCHÉS ?!

WOOSH

SWUSH

JE NE COMPRENDS PAS, GONG-BAO...

...NOUS AVONS POURTANT VAINCU L'ESPRIT DE NUWA.

NON ! TAIGONG-WANG LES A PROTÉGÉS !

HUM

ELLE SURPASSE VRAIMENT TOUTE NOTRE IMAGINATION...

MAIS SUPPOSE QUE, DEPUIS LE DÉPART, UNE PETITE PARTIE SOIT RESTÉE DANS SON CORPS...

ZOM

ZOM

AH...

JE N'EN VEUX PLUS !!...

UH...

...JE N'EN VEUX PLUS...

JE NE VEUX PLUS DE CETTE PLANÈTE !!

CE...

...CETTE LUMIÈRE ARGENTÉE ÉTINCELANTE...

WOOO

ÉPISODE 199
LA GRANDE MÈRE 5
ABSORPTION

AH !

ATTENDS, NUWA !!

MERDE !!

ÉPISODE 199

LA GRANDE MÈRE 5
ABSORPTION

ZHAOGE.

ALTESSE, VOTRE PLAIE À L'ABDOMEN NÉCESSITE LE REPOS COMPLET.

JE VOUS PRIE D'ALLER VOUS ALLONGER !

WOO

LE CIEL AU SUD-EST EST EN PROIE AUX FLAMMES.

QUE FABRIQUE CET EMPOTÉ DE TAIGONG ?

TAIGONG-WANG FAIT CE QU'IL A À FAIRE.

ET VOUS AUSSI, VOUS AVEZ VOS PROPRES RESPONSABILITÉS.

ZOM

JE SAIS.

MAIS D'ABORD, JE DOIS RASSURER MES SUJETS.

BAOOM

GRRR

MAUDITE NUWA !!

ELLE S'EN DONNE À CŒUR JOIE !

MISÉRICORDE...

SBAAAM

MERCI, JE SAIS !

J'AVAIS PAS TROP ENVIE D'EN ARRIVER LÀ...

...MAIS ELLE NE ME LAISSE PAS LE CHOIX !

ON NE PEUT PAS COMMETTRE UN TEL RAVAGE !!

WANGBIAN !!

FWUSH

ZWOOSH

!

ÇA SUFFIT COMME ÇA, NUWA !

FWUSH

TU SAIS TRÈS BIEN QUE TU NE PEUX RIEN CONTRE MOI DANS CETTE ENVELOPPE CHARNELLE !

JE TE SUIS LARGEMENT SUPÉRIEURE !

FUXI ! !

VRAIMENT ?

C'EST QUE J'AI PRIS DES DISPOSITIONS EN VUE DE T'AFFRONTER, VOIS-TU.

HE HE

NE TE METS PAS EN TRAVERS DE MON CHEMIN ! TU CONNAIS MON POUVOIR !

BVUM

REPRÉSENTATION DU GRAND UN ! FORMATION DE COMBAT !!

COMMENT ÇA ?!

MES AMIS !!

QUE VOS FORCES VIENNENT À MOI !!

KZIIIII

BWOF

HEIN ?!

MMH !!

BWOF

BWOF

OUAH !!

SHWUP

SHWUP

QU'EST-CE QUE...

...SE DIFFUSENT PAR LE BIAIS DE NOS BAOBEI...

NOS FORCES...

...ET CONVERGENT VERS TAIGONG !

C'EST L'EFFET DE LA REPRÉSENTATION DU GRAND UN.

COMMENT CELA SE FAIT-IL, MAÎTRE LAOTZU ?

UUH...

LES BAOBEI ORDINAIRES ABSORBENT L'ÉNERGIE DE CEUX QUI LES UTILISENT. LA REPRÉSENTATION DU GRAND UN FONCTIONNE SUR UN PRINCIPE DIFFÉRENT.

LA REPRÉSENTATION DU GRAND UN RÉAGIT AUX AUTRES BAOBEI.

AUTREMENT DIT...

TAIGONG S'EST DÉJÀ SERVI DE CE POUVOIR POUR GUÉRIR.

...ELLE SE NOURRIT DE L'ÉNERGIE DES AUTRES BAOBEI.

SCRISH

MAIS IL EST ESSENTIELLEMENT FAIT POUR COMBATTRE.

ET SA FUSION AVEC WANGBIAN LUI PERMET DE LUI DONNER SA PLEINE MESURE.

SCRISH SCRISH

SCRIISH

HOULÀ...

...C'EST À SE DEMANDER LEQUEL DES DEUX EST LE PIRE...

UUH

SHAAA !!

BWOOSH

SWAAP

HÉ
HÉ
HÉ...

!!

IL SE
RÉGÉNÈRE
?!

...TU AS
EU TON
COMPTE
?

...

JE CRAINS QU'IL N'Y AIT PAS DE PLACE POUR NOUS DANS CE COMBAT.

...

TOUTE NOTRE ÉNERGIE QU'IL A ABSORBÉE LUI A TOUT JUSTE PERMIS DE SE HISSER À SON NIVEAU.

QUELLE INTEN-SITÉ...

QUE VEUX-TU DIRE ?

TU CROIS VRAIMENT QUE CE SOIT TOUT ?

OOH !!

UN COMBAT NE PEUT AVOIR D'ISSUE...

...SI LES DEUX ADVERSAIRES SONT DE FORCE ÉGALE.

FWASH

HÉ HÉ

ÉPISODE 200

LA LIBÉRATION DE
LA TOUR DE HÔSHIN !!

BOM

MMH... ELLE PREND LE DESSUS.

TAIGONG !!

L'EST TROUE DE PARTOUT !

BOM

BOM

!!

WANG-BIAN !!

OOOOOOOH !!!

ZWUSH

OUAH !!

DIFFICILE DE PENSER À FAIRE DES ÉCONOMIES DANS DE TELLES CONDITIONS.

MAÎTRE TAIGONG... PAR PITIÉ !

BATTEZ-VOUS SANS NOUS POMPER TOUTE NOTRE ÉNERGIE...

UUH

CHAQUE ATTAQUE DE TAIGONG EST D'UNE PUISSANCE ÉQUIVALENTE À CELLE D'UNE DÉCHARGE DU FOUET DE LA FOUDRE.

POUR TENIR TÊTE À NUWA, IL N'A D'AUTRE SOLUTION QUE DE METTRE LE PAQUET.

...QU'ADVIENDRA-T-IL S'IL NE PARVIENT PAS À LA VAINCRE AVANT QUE NOS RÉSERVES D'ÉNERGIE TOUCHENT LE FOND ?

EUH...

...C'EST UN CAS DE FIGURE QUE JE N'OSE ENVISAGER, MAIS...

STOM

EH BIEN, SI CELA DEVAIT SE PRODUIRE...

FWUSH

...CE SERAIT LA FIN DE CETTE PLANÈTE.

ZWAAAHH

WOO

TAIGONG EST DOMINÉ.

COMMENT COMPTE-T-IL S'EN SORTIR ?

OH!

C'EST MAL PARTI.

AAATA
TATATA
TAAAA
!!

HÉ
HÉ...

...LA
PLAISANTERIE
A ASSEZ
DURÉ !

UH !!

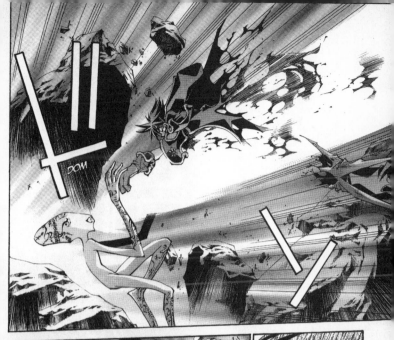

OUCH !!

ADIEU...

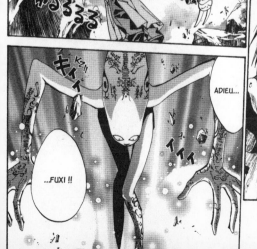

...FUXI !!

94

IL VA...

...ELLE NE VA PAS LUI LAISSER LE TEMPS DE SE RÉGÉNÉRER !!

OH NON...

TIENS BON,
TAIGONG !!

...DISPARAÎTRE !!

SHWUG SHWUG SHWUG SHWUG

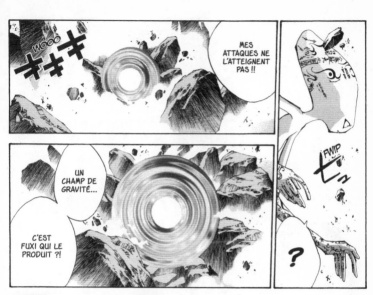

RASSURE-TOI, JE NE SUIS PAS UN FANTÔME.

JE SUIS UN CORPS SPECTRAL.

C'EST DU PAREIL AU MÊME, NON ?

HÉ HÉ

HUM...

ICI, BIEN SÛR.

JE NE SUIS PAS VENU SEUL.

ET LES AUTRES, OÙ SONT-ILS ?

EH BIEN, ZHANG-KUI ? TU MAUGRÉES DÉJÀ ?

HEIN ?

CET IMBÉCILE DE TAIGONG...

...IL VA NOUS POMPER TOUTE NOTRE ÉNERGIE...

...ÇA ALORS !!

AH...

SALUT, NAZHA !!

QUI T'ES, TOI ?!

CASSE-TOI !

TADAM

ALORS COMME ÇA, C'EST TOI QUI AS HÉRITÉ DE MON BAOBEI ?

PFF

FRANCHE-MENT...

...VOUS AURIEZ PU ARRIVER UN PEU PLUS TÔT !

OUAAAH !!

KYAAAAAAH !!

DES FANTÔMES !!

MAÎTRE YUANSHI !!

LE VÉRITABLE OBJECTIF DU PLAN HÔSHIN ÉTAIT DE VAINCRE NUWA, PAS DE S'EN PRENDRE AUX AUTRES IMMORTELS.

RA... RA... RANDENG !!

QUE SE PASSE-T-IL ?!

EFFECTIVEMENT...

...WEN ZHONG OU ZHAO GONGMING SONT DES ALLIÉS DE TAILLE POUR AFFRONTER NUWA.

MAIS IL A BIEN FALLU METTRE À L'ÉCART CEUX QUI SE METTAIENT EN TRAVERS. LA TOUR DE HÔSHIN A ÉTÉ CONÇUE POUR RECEVOIR LEURS ESPRITS.

LES ESPRITS RETENUS DANS LA TOUR DE HÔSHIN ONT ÉTÉ LIBÉRÉS.

SALUT, MAÎTRE TAIGONG !

MMH ?

ON EST DE LA PARTIE, NOUS AUSSI !

...

AVEC TOUT CE MONDE POUR T'ÉPAULER, TU DEVRAIS T'EN SORTIR, NON ?

OUAH !!

FORMIDABLE !
QUEL MIRACLE !

ÉPISODE 201
L'HISTOIRE REPREND SES DROITS
PREMIÈRE PARTIE

TIANHUAA
!!

PAPAAA
!!

OUAA !

TOUS CEUX
QUI ÉTAIENT
EMPRISONNÉS
DANS LA TOUR
DE HÔSHIN...

...SONT
RASSEMBLÉS
!!

OH,
TIANXIANG !

MERCI À TOUS...

...DE VOTRE PRÉCIEUX CONCOURS !

ALLEZ, TAIGONG ! PUISE DANS NOS FORCES POUR FOUTRE SA RACLÉE À CET ALIEN !!

'Y A PAS DE QUOI !

ON VOYAIT BIEN QUE VOUS ÉTIEZ PAS DE TAILLE.

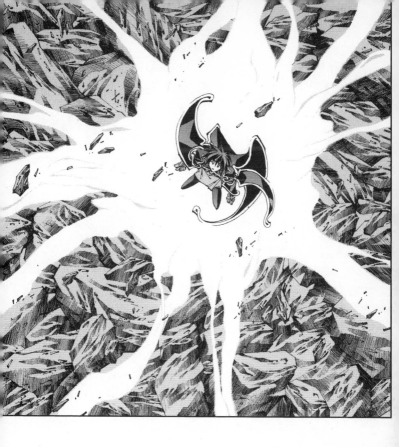

L'HISTOIRE REPREND SES DROITS
PREMIÈRE PARTIE

PEUH !

TU N'AS AUCUNE CHANCE !

J'EN AURAI FINI AVEC TOI AVANT QUE TU AIES RASSEMBLÉ TES FORCES !

ATTENTION !!

TAIGONG !!

DANS LE MILLE !

J'AI SENTI L'IMPACT !!

NUWA... C'EST LA DERNIÈRE CHANCE QUE JE T'OFFRE.

NE VEUX-TU PAS ARRÊTER ?

TAIGONG...

...

KZII

PUISQUE TU ES SI ATTENTIONNÉ À MON ÉGARD...

...JE SUIS SÛRE QUE TU ACCEPTERAS DE...

...TA BONTÉ ME TOUCHE BEAUCOUP, TU SAIS.

FUXI...

BWOO

...DISPARAÎTRE !!

FSBAM

FWASH!

CETTE FOIS, C'EST TOI QUI NE ME LAISSES PAS LE TEMPS DE ME RÉGÉNÉRER !!

WOO

GWOO

WOO

BMOM

BMOM

OH...

C'EST
BIEN
PARTI !

BAKOOM

HMNG HMNG HMNG HMNG

DÉTROM-PE-TOI.

JE CROIS QUE LA FIN EST PROCHE.

DIS-MOI, GONGBAO...

...N'EST-CE QU'UNE IMPRESSION, OU BIEN CE COMBAT N'EN FINIRA JAMAIS SI NUWA NE CESSE DE SE RÉGÉNÉRER ?

HMNG HMNG HMNG

SON CORPS A ATTEINT SES DERNIÈRES LIMITES.

GNÉHÉHÉ

SCRAP

N...

NON...

SCROP

J'AI ASSEZ SOUFFERT DE LA SOLITUDE...

SCROP

JE NE VEUX PAS MOURIR SEULE...

ÉPISODE 202
L'HISTOIRE REPREND SES DROITS
SECONDE PARTIE

C'EST SANS DOUTE L'ULTIME ÉCLAT DE L'EXISTENCE DE NUWA.

PROBA-BLEMENT.

MAIS JE CRAINS QU'ELLE NE VEUILLE ENTRAÎNER TAIGONG DANS LA MORT AVEC ELLE...

QU'EST-CE QUE C'EST QUE ÇA ?!

CE N'EST PAS UNE VULGAIRE EXPLOSION... C'EST UN BLOC D'ÉNERGIE VIVANTE !

ÉPISODE 202

L'HISTOIRE REPREND SES DROITS
SECONDE PARTIE

MON CORPS...

IL S'EFFRITE...

CETTE FOIS, JE CROIS BIEN QUE JE SUIS PERDU...

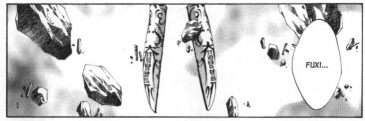

FUXI...

...J'AI UNE QUESTION À TE POSER.

SCRAP

SCRAP

...QUE NOUS COMBATTIONS POUR EN ARRIVER LÀ ?

POURQUOI FALLAIT-IL...

SCRAP

SCRAP

QUE DEVIENDRA CETTE PLANÈTE SANS MOI ?

CROIS-TU QUE LES CRÉATURES QUI Y VIVENT SERONT PLUS HEUREUSES ?

COMMENT ?

J'EN SAIS RIEN.

INUTILE DE ME DEMANDER DES CHOSES PAREILLES. JE N'OBÉIS À AUCUNE NOBLE ASPIRATION.

JE NE PEUX TOUT SIMPLEMENT PAS SUPPORTER QUE TU CONTRÔLES CETTE PLANÈTE DANS SON INTÉGRALITÉ.

C'EST TOUT, NI PLUS NI MOINS.

JE ME SUIS ALLIÉ AVEC D'AUTRES QUI PARTAGEAIENT MON OPINION POUR TE COMBATTRE.

TON CRIME EST DE LEUR AVOIR DÉVOILÉ MON EXISTENCE ! CE FAISANT, TU AS RÉPANDU LES GRAINES DE LA RÉVOLTE !

MAIS S'ILS N'AVAIENT PAS SU QUE JE CONTRÔLAIS LEURS DESTINS, ILS N'AURAIENT JAMAIS RÉAGI !

TOUT EN RÊVANT DE LIBERTÉ, ELLES LA CRAIGNENT ET SE COMPLAISENT DANS L'ALIÉNATION.

AU FOND D'ELLES-MÊMES, LES CRÉATURES DE CETTE PLANÈTE NE CHERCHAIENT PAS À SE SOUSTRAIRE À MON JOUG.

133

AH ! J'AI UNE IDÉE !

WOOO

ZAM

JE VAIS UTILISER MA PERLE DE RÉSURRECTION !

OUAAAAH !!

SIBU XIANG ! ESSAYONS D'ÉTEINDRE CETTE LUMIÈRE EN L'ARROSANT !!

ZRRRRR

TADADA

WUJI !!

BAM

BAM

T'ES PAS FOU, NON ! TU VAS RESSUSCITER NUWA PAR LA MÊME OCCASION !

TANT PIS ! JE VEUX PAS LE SAVOIR ! M'EN FICHE !

BWOOSH !!!

LES SAPEURS-POMPIERS ENTRENT EN ACTION !!

ON VA VOUS SAUVER, MAÎTRE !!

GONGZHU !!

MAÎTRESSE GONGZHU A ACCEPTÉ DE NOUS DONNER UN COUP DE MAIN !

BLOB

HAA

BLOB

MAIS DIS-MOI... D'OÙ PROVIENT TOUTE CETTE EAU ?

BLOB

BLOB

EN FAIT...

...NOTRE AFFRONTEMENT EST DEVENU INÉLUCTABLE DEPUIS L'INSTANT OÙ NOUS SOMMES ARRIVÉS SUR CETTE PLANÈTE.

HÉ HÉ

...

ALLONS BON...

Comme si ça allait marcher.

LA FERVEUR AVEC LAQUELLE TES AMIS ESSAIENT DE TE SAUVER...

...TU AIMERAIS QU'ELLE PROVIENNE NATURELLEMENT D'EUX-MÊMES...

...PLUTÔT QU'ELLE SOIT GUIDÉE PAR MON FAIT...

...N'EST-CE PAS ?

LA SOLITUDE M'A DÉJÀ TROP PESÉ.

HÉ HÉ...

PEU M'IMPORTE. DÉPÊCHE-TOI DONC DE MOURIR.

PEUH

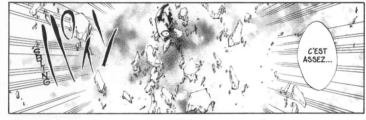

C'EST ASSEZ...

SWAAM

MON DERNIER CAPRICE AVANT DE DISPARAÎTRE...

...EST DE T'EMMENER AVEC MOI.

...

BON.

SWASH

QU'EST-CE QUE JE FAIS LÀ...

YAAHAA

VOUS N'AUREZ PLUS BESOIN DE MOI, À PRÉSENT.

PORTEZ-VOUS BIEN. JE SUIS SÛR QUE TOUT IRA POUR LE MIEUX, DÉSORMAIS.

GWAASH

GWAAASH

SWAAASH

ΓΓΓΓΓ...

MON PETIT TAIGONG...

...LE FEU DE NUWA S'ÉTEIGNIT, NE LAISSANT DERRIÈRE LUI QUE DES IMMORTELS DÉSEMPARÉS.

TSS
TSS

TU LE VOIS, HEDIAN-HU ?

MAÎTRE TAIGONG ?

WOOO

...DE LA SURFACE DE LA PLANÈTE.

IL A DISPARU...

DON
DODOM

...

MAÎTRE YUANSHI...

C'EST PAS VRAI...

MAÎÎÎÎÎTRE !!

AINSI SE CLÔT
CE LONG COMBAT
CONTRE NUWA, LA
MAÎTRESSE DE LA
DESTINÉE...

...MARQUANT LA
FIN DE L'ÈRE
LÉGENDAIRE AUX
ORIGINES DE
L'HISTOIRE DE
NOTRE MONDE.

封神演義

UN MOIS PLUS TARD, SUR L'ÎLE DE PENGLAI.

ÉPISODE 203
ÉPILOGUE
PREMIÈRE PARTIE

...

MAÎTRE SUPRÊME !

FWUSH

MAÎTRE SUPRÊME !

TU PEUX M'APPELER PAR MON NOM.

TU VEUX BIEN ARRÊTER DE M'APPELER COMME ÇA, SIBU XIANG ?

SUR TERRE ?

POUR QUOI FAIRE ?

BON ALORS, MAÎTRE YANG-JIAN !

NOUS VOUDRIONS VOTRE PERMISSION POUR ALLER SUR TERRE !

NOUS VOUDRIONS PRÉSENTER UN RAPPORT DE NOTRE SITUATION AU ROI WU.

NOUS AVONS ÉTÉ SI OCCUPÉS JUSQU'À MAINTENANT À BÂTIR UN NOUVEAU DOMAINE CÉLESTE ICI QUE NOUS NE LES AVONS PAS TENUS AU COURANT DE NOS AVANCÉES.

MERCI !

SI VOUS VOUS PROPOSEZ D'Y ALLER, C'EST PARFAIT !

TRÈS BIEN. JUSTEMENT, J'ENVISAGEAIS DE LE FAIRE.

TIENS, PRENDS ÇA.

C'EST UN LAISSEZ-PASSER.

AINSI DONC, WUJI ET MOI-MÊME PARTÎMES RENDRE VISITE AU ROI WU.

EPISODE 203

ÉPILOGUE
PREMIÈRE PARTIE

OHÉ ! COMMENT ÇA VA ?

AH !

GWOO

LEI ZHENZI, NAZHA ET TIANXIANG !

AH ! SIBU !

AH OUI !

ON A SANS ARRÊT DES EMBROUILLES À RÉGLER ENTRE MONSTRES ET HUMAINS.

BLA BLA

ÇA IRAIT MIEUX SI YANG-JIAN NE NOUS AVAIT PAS ASSIGNÉS À CES FOUTUES PATROUILLES !

BLI BLI

BADOM

GYAAAAH !!

...

GRRR !!

ÇA SUFFIT COMME ÇA, BANDE D'ABRUTIS !!

'Y EN A MARRE !!

150

IL RESTE ENCORE BEAUCOUP DE PROBLÈMES À RÉGLER, MAIS LA MISE EN PLACE DU NOUVEAU DOMAINE CÉLESTE SUIT SON COURS.

IL EST APPUYÉ PAR RANDENG ET ZHANG-KUI, REPRÉSENTANTS RESPECTIFS DE CHACUN DES DEUX PARTIS.

C'EST MAÎTRE YANG-JIAN QUI LE DIRIGE. IL A LA CONFIANCE DES MONSTRES ET DES HUMAINS À LA FOIS.

GUIREN A MYSTÉRIEUSEMENT RETROUVÉ FORME HUMAINE APRÈS LA DISPARITION DE DAJI.

SERAIT-CE GRÂCE À SON POUVOIR ?

FWUSH

AH !

PEUH.

XIMEI ! GUIREN !

TCOUIN TCOUIN

MON PETIT CHOU DE SIBU !!

BOU HOU HOU...

MOI JE VEUX FAIRE UNE FÊTE AUSSI CHOUETTE QUE CELLE DE CHAN-YU ET DE LA TAUPE !

ALORS, SIBU, TU AS CHOISI UNE DATE POUR LA CÉRÉMONIE ?

QUELLE CÉRÉMONIE ?

BYE-BYE !

D'AC'ODAC ! TRAVAILLE BIEN !

EUH... ON EN REPARLERA PLUS TARD, HEIN... JE... JE SUIS EN MISSION...

CLING

J'AI DU MAL À LA CERNER, LA PETITE XIMEI.

BOUH...

...MA DÉCISION EST PRISE : JE RESTERAI TA VEUVE POUR TOUJOURS.

JE TE PLEURERAI CHAQUE JOUR.

BWEUUH

MON BEAU TAIGONG...

MADONNA... EST-CE QUE ÇA VA ?

WC

BWEUUUURGH !!

LE POISSON QU'ON A MANGÉ NE DEVAIT PAS ÊTRE FRAIS...

...JE DOIS ÊTRE ENCEINTE... C'EST SON ENFANT !

SAPRISTI...

154

DIS DONC,
ET SI ON
PASSAIT VOIR LE
MAÎTRE YUANSHI,
PAR LA MÊME
OCCASION ?

BONNE IDÉE !
ALLONS LE
SALUER !

UN DOMAINE DIVIN A ÉTÉ CRÉÉ À L'INTÉRIEUR DE LA ZONE DE TÉLÉPORTATION.

C'EST UN LIEU INTERMÉDIAIRE ENTRE LA TERRE ET LE DOMAINE CÉLESTE OÙ VIVENT LES ESPRITS.

ZAAAA!

EH ! SALUT, L'HIPPO !

RANDENG A PASSÉ DES ANNÉES À BÂTIR CET ENDROIT.

CEUX QUI Y RÉSIDENT SONT DES "DIVINITÉS" CAPABLES D'INTERVENIR DANS LE MONDE TERRESTRE.

IL N'Y A DONC QUE PAR LA COMPRÉHENSION MUTUELLE QUE...

ZOG-ZOG !

ILS SONT PRÊTS À PASSER À L'ACTION S'IL SE PASSE QUOI QUE CE SOIT D'ANORMAL PARMI LES HOMMES.

C'EST LEUR RÔLE.

TOUS LES IMMORTELS FINIRONT PAR VENIR ICI UN JOUR OÙ L'AUTRE.

OH... REGARDEZ UN PEU QUI NOUS REND VISITE !

WARP

ALORS COMME ÇA...

...VOUS ALLEZ VOIR LE ROI WU.

LE CHAMP DE HÔSHIN QUI PART D'ICI ENGLOBE TOUTE L'ÎLE DE PENGLAI.

CE QUI EXPLIQUE QUE LES ESPRITS DES VAINCUS SE SOIENT ENVOLÉS LORS DU TOURNOI QU'AVAIT ORGANISÉ DAJI.

COMMENT ÇA SE PASSE POUR VOUS, ICI ?

TOUT FONCTIONNE BIEN ?

ÉVIDEM-MENT.

LA CONCEPTION EST DE TAIGONG ET LA RÉALISATION, DE RANGENG.

EN CAS D'INCIDENT, IL DEMANDE AUX DIVINITÉS DE RÉAGIR.

QUANT AU VÉNÉRABLE MAÎTRE YUANSHI, IL EST CHARGÉ DE VEILLER SUR LA TERRE GRÂCE À SON ŒIL DE MILLE LIEUES.

EFFECTIVEMENT, SI C'EST MAÎTRE TAIGONG QUI EN EST À L'ORIGINE...

...ÇA NE PEUT QUE BIEN ALLER !

SIBU-XIANG...

...

LE MONDE TERRESTRE...

WOOO

REGARDE ÇA, WUJI !

LA CITADELLE DE YANG-JIAN !

* ZHOU

C'EST ICI QUE NOUS NOUS SOMMES BATTUS CONTRE CHAN-YU.

QUE DE SOUVENIRS !

FWUSH

C'EST FOU...

OÙ QUE JE REGARDE, JE NE VOIS QUE DES LIEUX QUE J'AI SURVOLÉS EN COMPAGNIE DE MAÎTRE TAIGONG...

TADADADA

SIBUXIANG !
WUJI !

DASH

BONJOUR,
LES AMIS !
COMMENT
ALLEZ-VOUS ?

OUAH !

162

ÇA ME RASSURE DE SAVOIR QUE TOUT VA BIEN LÀ-HAUT.

HÉ HÉ

MAIS POUR L'INSTANT, NOUS RESTONS ENCORE UN PEU À ZHAOGE.

POUR MA PART, JE COMPTE TRANSFÉRER LA CAPITALE D'ICI QUELQUE TEMPS.

EUH...

ET CET IDIOT DE TAIGONG-WANG, COMMENT IL VA ?

MAÎTRE TAIGONG EST...

IL DOIT SE LA COULER DOUCE, MAINTENANT QUE TOUT EST TERMINÉ !

163

IL LUI EST ARRIVÉ QUELQUE CHOSE ?

MMH ? DE QUOI ?

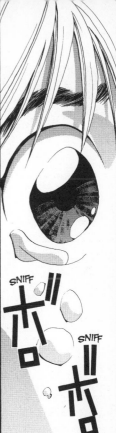

SNIFF

SNIFF

IL EST MORT ! BOUHOUHOU...

IL A PÉRI DANS LE COMBAT CONTRE NUWA...

...

164

ATTENDEZ...

...IL S'EST POINTÉ ICI IL Y A UNE SEMAINE...

HUM?

HEIN?

HUM?

OUI...

DE QUOOOOÂÂÂÂÂ ?!!!

ÉPISODE 204

ÉPILOGUE
SECONDE PARTIE

MAÎTRE
TAIGONG EST
VIVANT !!

IL EST
VENU ICI
IL Y A UNE
SEMAINE !

C'EST
LE ROI WU
QUI NOUS
L'A DIT !

JE SUIS D'AVIS QU'ON PARTE À SA RECHERCHE.

S'IL A QUITTÉ ZHAOGE AVANT-HIER, IL N'A PAS DÛ ALLER BIEN LOIN !

ÉVIDEM-MENT !!

EFFECTIVEMENT, UN TEL SANS-GÊNE, C'EST LUI TOUT CRACHÉ !

CE FAINÉANT S'EST FAIT PASSER POUR MORT, HISTOIRE DE NOUS LAISSER RÉGLER TOUT LE RESTE NOUS-MÊMES !

BWUM

ET QUAND ON L'AURA RETROUVÉ, ON LE PENDRA !!

ÉCOUTEZ-MOI BIEN.

ZAM

170

CET ÉLIXIR A UN EFFET FORMIDABLE SUR LES PÊCHERS !

FANTAS-TIQUE !!

HAHA HAHA HAHA !!

OH...

WOW !!

ADMIREZ !

MAIIIITRE !!
ごしゃーーん
OÙ ÊTES-VOUS ?!
どっこいスカ゛ーーー？

MAIS C'EST...

OH !

ATTENDS ! RESTE TRAVAILLER À MA FERME !

JE VOUS PRENDS UNE PÊCHE POUR LA ROUTE !

L'AVENTURE M'APPELLE, MES BRAVES !

KZAM

MÉTAMOR-PHOSE !!

SHWIP

ZWING

C'EST BIZARRE...

...JE NE SENS MÊME PAS SON ODEUR.

ET HOP !

Regardez ! Un immortel ! C'est le premier depuis longtemps !

À TOUS LES COUPS, IL UTILISE LE POUVOIR DES ÊTRE ORIGINELS POUR SE DISSIMULER !

GRR

LE PLUS ÉTRANGE, C'EST QUE MAÎTRE YUANSHI NE LE REPÈRE PAS AVEC SON REGARD PERÇANT.

ARRÊTONS-NOUS DEMANDER À LA MÈRE DE NAZHA SI ELLE N'A PAS DES INFORMATIONS !

OH ! LA PASSE DE CHENTANG !

MAÎTRE TAIGONG ?

...

OUI ! IL EST VIVANT !

ON SE DEMANDAIT SI, PAR HASARD, IL N'ÉTAIT PAS PASSÉ PAR ICI...

NON, NON, ON NE L'A PAS VU.

VOUS PENSEZ BIEN QU'ON S'EN SOUVIENDRAIT, AUTREMENT !

FWASH

POURSUIVONS NOS RE-CHERCHES.

OUI !

YUP!

BON...

EXCUSEZ-NOUS POUR LE DÉRANGEMENT. NOUS REPRENONS NOTRE ROUTE SANS PLUS TARDER !

HÉ HÉ

HAA...

NOUS DEVRIONS PEUT-ÊTRE RETOURNER DANS LE DOMAINE CÉLESTE.

IL EST INTROUVABLE.

PFFF

OUI.

MAÎTRE YANG-JIAN AURA PEUT-ÊTRE UNE IDÉE POUR LE DÉNICHER...

BWOP

BWOP

BWOP

AH ! JE ME SUIS BIEN AMUSÉ !

C'EST TROP DRÔLE DE LES FAIRE TOURNER EN BOURRIQUE, CES DEUX-LÀ !

SPOC

BON, MAINTENANT QUE LES GÊNEURS SONT PARTIS...

...PLACE À LA SIESTE !

VLOM

TSS...

TU N'AS PAS CHANGÉ, HEIN ?

SI JE
COMPRENDS
BIEN...

...C'EST
DAJI QUI T'A
PROTÉGÉ ?

OUI.

DAJI QUI FAIT DÉSORMAIS PARTIE INTÉGRANTE DE NOTRE PLANÈTE !

QU'EST-CE QUE TU COMPTES FAIRE ?

ET MAINTENANT ?

VOYAGER, VOIR DU PAYS.

SHHHUP

TRÈS BIEN.

AU FAIT, TU TE SOUVIENS, TAIGONG ?

KZZM

C'EST ICI QUE NOUS NOUS SOMMES BATTUS POUR LA PREMIÈRE FOIS.

KZZM

180

SHHHP

C'ÉTAIT POUR RIRE.

HÉ HÉ

JE SUIS RASSURÉ DE VOIR...

...QUE TON REGARD N'A RIEN PERDU DE SA FORCE.

Quelle force ! →

3

JE ME RÉSERVE NOTRE AFFRONTEMENT POUR PLUS TARD.

SI NOUS EN FINISSIONS MAINTENANT...

....JE M'ENNUIERAI, APRÈS !

PFYUUU

STAP STAP
STAP

PWAAAH!

BON...

...OÙ VAIS-JE ALLER, MAINTENANT ?

L'HISTOIRE, LA VRAIE, NOUS APPREND QUE TAIGONG-WANG S'OCCUPA D'AFFAIRES POLITIQUES DANS LA PROVINCE DE QI, DANS L'ACTUELLE RÉGION DE SHANGONG.

LE ROI WU MOURUT
DEUX ANS APRÈS.

LA RELÈVE FUT PRISE
PAR SONG, LE FILS
QU'IL EUT DE LIJIANG.
C'EST GONGDAN QUI
ASSUMA LA RÉGENCE.

MAIS RIEN NE NOUS
GARANTIT QUE C'EST AINSI
QUE SE DÉROULERA LA
VIE DES PERSONNAGES
DE CE MANGA...

CAR, APRÈS TOUT, LA
MAÎTRESSE DE LA
DESTINÉE A DISPARU...

Fin du volume 23

Au bord du gouffre 22

ET VOILÀ ! AU BOUT DE QUATRE ANS ET DEMI DE PARUTION, HÔSHIN S'ACHÈVE.

MERCI À TOUS D'AVOIR SUIVI LA SÉRIE PENDANT TOUT CE TEMPS.

NOBODY CAN STOP THE PACHA LIFE !!

POUR MA PART, JE VAIS ENFIN POUVOIR MENER UNE VIE DE PACHA !

HOHO

HOHO

HOHO

CIEL !

LE SPECTRE DE M. SHIMA !!

NE PRENDS PAS TES RÊVES POUR DES RÉALITÉS, FUJISAKI !

OUAH !

IL TE RESTE À DESSINER UNE HISTOIRE COURTE POUR LE JEU SUR WONDERSWAN !

EH OUI...

ÇA FAIT DU BOULOT, MINE DE RIEN...

MAIS PUBLIER UN RECUEIL, ÇA VEUT DIRE CORRIGER PAS MAL DE DESSINS...

JE SUIS EN TRAIN DE DESSINER UNE HISTOIRE BONUS QUI SERA SÛREMENT PRÊTE À L'HEURE OÙ SORTIRA CE LIVRE.

Pour l'instant, j'en suis aux Rough !

JE COMPTE LA PUBLIER ENSUITE DANS UN RECUEIL D'HISTOIRES COURTES.

VOILÀ. J'AI DONC L'INTENTION DE TRAVAILLER UN PEU PLUS CALMEMENT.

J'ESPÈRE QUE NOUS NOUS REVERRONS UN JOUR OU L'AUTRE !

- HÔSHIN - L'INVESTITURE DES DIEUX
Titre original : "HÔSHIN ENGI"

©1996, by Ryû Fujisaki/Tsutomu Ano
All rights reserved.
First published in Japan in 1996
by SHUEISHA Inc., Tôkyô.

- Edition française -
Traduction : Sylvain Chollet
Lettrage : Bakayaro!

©2005, Editions GLÉNAT
BP 177, 38008 GRENOBLE Cedex.
ISBN : 2.7234.5026.7
ISSN : 1253.1928
Dépôt légal : novembre 2005

Imprimé en France par Hérissey - CPI
27000 EVREUX

D1542061